嘻哈鳥 森林故事叢書

兒童正向教育繪本 7

在一天長大了

何巧嬋　著

Kyra Chan　圖

作者 何巧嬋

何巧嬋，香港教育大學名譽院士、澳洲麥覺理大學（Macquarie University）教育碩士。曾任校長，現職作家、學校總監、香港教育大學客席講師。

主要公職包括多間學校校董、香港康樂及文化事務署文學藝術專業顧問、香港兒童文藝協會前會長等。

何巧嬋，熱愛文學創作，致力推廣兒童閱讀，對兒童的成長和發展，有深刻的關注和認識。截至 2021 年為止，已出版的作品約一百八十多本。

繪者 Kyra Chan

從小愛幻想，喜歡看繪本，對書籍的誕生一直有着憧憬，於是在設計學院畢業後投身童書出版界。特別擅長繪畫調皮可愛的畫風，已出版的繪畫作品包括《我的旅遊手冊》系列、《親親幼兒經典童話》系列、《立體 DIY 動手玩繪本》系列、抗疫繪本《病毒壞蛋，消失吧！》等。

kyra.illust

給小讀者的話

森林裏有一條長長的樂河，
鴨子在嬉戲，蝴蝶在飛舞，
青蛙在唱歌⋯⋯
小象安安卻沿着樂河，匆匆忙忙在趕路。
安安，你要往哪裏去呢？
讓小讀者陪伴你一起走走好嗎？

在遠遠的森林裏，
住着兩隻嘻哈鳥。

嘻嘻是姊姊，
哈哈是弟弟，
他們是森林小精靈，
幾乎知道森林裏所有的事情。

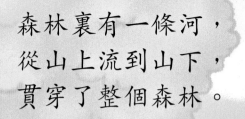

森林裏有一條河，
從山上流到山下，
貫穿了整個森林。

河的兩邊，綠草油油，
長滿了大樹小樹，
有的開了美麗的花朵，
有的結了盈盈的果子。

這河叫什麼名字？

很久、很久以前，
聰明博學的貓頭鷹爺爺
給它起了個美麗的名字：
「樂河」，
一條的快樂的河。

樂河淙淙、淙淙地流，
魚兒慢慢、慢慢地游，
鴨子在河上嬉戲，
蝴蝶在花間飛舞，
青蛙呱呱、呱呱在唱歌⋯⋯
樂河，一條的快樂的河。

今天在樂河的上游，一群大象很忙碌。
你看，嘻嘻哈哈張開的是什麼？

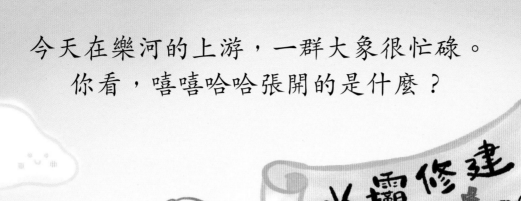

大象要趁雨季來到之前
把水壩修建好，
防止河水氾濫。

水壩工程不容易，要做好多天。
天上的鳥兒在打氣：
「加油，加油！
大象叔叔姨姨，
謝謝你們呀！」

這是小象安安的家。

爸爸出門工作，
好哥哥安安，
幫忙媽媽照顧小弟弟。

「奇怪？」
安安在大門旁邊發現兩個大背包。

「媽媽，這是什麼？」
安安問媽媽。

「哎呀，不好了！」
媽媽皺皺眉頭說，
「爸爸今天上班忘記了
帶食物袋。」

怎辦好呢？
媽媽要照顧小象弟弟，不能給爸爸送食物。
沒有了食物，爸爸這幾天可要捱餓了！

怎辦好呢？

「我來給爸爸送食物！」
安安用長鼻子捲起
兩個大大的食物袋，
有點重呀！

「路程好遠，食物袋很重的呀！」
媽媽擔心地說。

「媽媽，我長大了！」

媽媽把食物袋放在安安背上。
「安安，路上小心呀！」

安安踏着大步出門了，
背後傳來媽媽的吩咐：

「安安，沿着樂河一直走……」

「安安，天黑就容易迷路，
要趕快回家呀！」

安安把媽媽的話
一一記住了。

安安沿着樂河走呀走……
一群蝴蝶在花間翩翩起舞，
「安安，來、來、來，我們來捉迷藏！」
蝴蝶説。

「謝謝你，
我要給爸爸送食物。」
安安沒有停下來，
急步往前走……

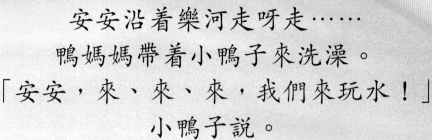

安安沿着樂河走呀走……
鴨媽媽帶着小鴨子來洗澡。
「安安，來、來、來，我們來玩水！」
小鴨子說。

「謝謝你，我要給爸爸送食物。」
安安沒有停下來，急步往前走……

安安沿着樂河走呀走……
猴子媽媽帶着小猴子來喝水。
「安安，來、來、來，
河水又清又甜，快來一起喝！」小猴子說。

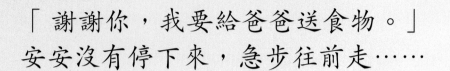

「謝謝你，我要給爸爸送食物。」
安安沒有停下來，急步往前走⋯⋯

安安走過了彎彎曲曲的山路，
安安穿過了高高低低的樹林，

安安急步往前走，
　　走呀走、走呀走……

安安來到水壩，找到了爸爸：
「爸爸，你的食物送來了！」

爸爸擁抱着安安，高興極了。

嘻嘻哈哈開心地歌唱：
「勇敢的小象，不怕山高，
強壯的小象，不怕路遠，
誰是勇敢的小象？
誰是強壯的小象？」

四周的大象回答說：
「安安是勇敢的小象！」
「安安是強壯的小象！」
大家都為安安歡呼！

安安沿着樂河趕回家，
太陽快要下山了；

清冷的夜風呼呼地吹，
安安心裏有點害怕。

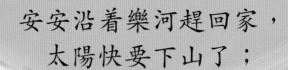

樂河淙淙、淙淙……

輕輕地說：「不怕，不怕，

安安不要怕，我用歌聲送你回家。」

安安沿着樂河趕回家，
太陽下山了；

四周漸漸昏暗，
安安心裏有點害怕。

誰在樹林裏亮起了點點的光？

「不怕，不怕，安安不要怕，我們閃着亮光，送你回家。」

螢火蟲一邊飛，一邊柔柔地說。

回到家了，
安安向窗外的螢火蟲揮手說再見：
「螢火蟲，謝謝你們！」

媽媽親親安安説：
「安安，你真的長大了！」

給伴讀者的話

　　孩子需要經歷挑戰才能成長，勇氣和信心是跨越挑戰的要素。在這個故事裏，小象安安勇敢地負起給爸爸送食物的責任，邁開大步接受挑戰。

　　故事中，樂河寓意喜樂之源；螢火蟲象徵光明和智慧。樂河為安安作伴，螢火蟲為他點燈引路，安安經歷了不尋常的一天，完成任務，瞬間成長了！

　　在日常生活裏，安全的情況下，家長或老師可以刻意為孩子安排一些挑戰，孩子的潛能和解決問題的能力，一定會令大家喜出望外。

晚上才活動的動物

　　大自然中，有一些動物會在日間休息，晚上才出來活動，就好像故事中的螢火蟲，我們叫這些動物做「夜行性動物」。牠們有着良好的夜間視力，或發達的聽覺、嗅覺系統，可以適應在晚上黑暗的環境活動。

為什麼牠們要在 **夜晚** 才出來活動呢？

狐狸

蚯蚓

倉鼠

1. 夜晚出來覓食，可以避開捕食自己的肉食動物。

2. 躲避白天的炎熱環境，減少身體的水分流失。

3. 能力較弱的動物在晚間捕獵，可避免跟其他在白天捕獵的強大動物競爭。

4. 為了捕食其他夜行性動物，所以也在夜間出沒。

刺蝟

花豹

二趾樹懶

嘻哈鳥 森林故事叢書
兒童正向教育繪本 **7**

在一天長大了

作　　者：何巧嬋
繪　　者：Kyra Chan
責任編輯：周詩韵
美術設計：Kyra Chan
出　　版：明窗出版社
發　　行：明報出版社有限公司
　　　　　香港柴灣嘉業街18號
　　　　　明報工業中心A座15樓
電　　話：2595 3215
傳　　真：2898 2646
網　　址：http://books.mingpao.com/
電子郵箱：mpp@mingpao.com
版　　次：二○二二年七月初版
I S B N：978-988-8688-46-3
承　　印：美雅印刷製本有限公司